TATTOO COMPRIS

SCÉNARIO : MIDAM, PATELIN ET GOF
DESSIN : MIDAM ET DAIRIN
COULEURS : ANGÈLE

DUPUIS

Scanne ce QR code et retrouve les coulisses de *Kid Paddle* et *Game Over* !

Première édition

Dépôt légal : octobre 2021 — D/2021/0089/340
ISBN 979-1-0347-5441-0
© Dupuis, 2021.
Tous droits réservés.
Éditions Dupuis s.a., rue Destrée 52, 6001 Marcinelle, Belgique.
Imprimé par PPO, rue de la Croix Martre 10, 91120 Palaiseau, France.
Achevé d'imprimer en septembre 2021.
www.dupuis.com

Certifié PEFC
Ce produit est issu
de forêts gérées
durablement et de
sources recyclées
et contrôlées.
PEFC
10-31-1800   pefc-france.org

OH LÀ LÀ !

LE VENT A COMPLÈTEMENT ÉTIRÉ CE PULL...

IL EST TOTALEMENT FICHU !

EN PLUS AVEC CES MANCHES LONGUES ON DIRAIT QUE JE SUIS INTERNÉ DANS UN ASILE...

HÉ HÉ !

LAISSEZ-MOI SORTIR !

LAISSEZ-MOI SORTIR !

EUH FRANCK...

JE TE PRÉSENTE MON PÈRE...

IL M'A DEMANDÉ SI TU AVAIS DÉJÀ EU DES ÉLECTROCHOCS !

VOUS ÊTES ARRIVÉS AU PIRE MOMENT, C'EST FOU !

C'EST DÉMENT !

MIDAM - DAIRIN - PATELIN

613

4

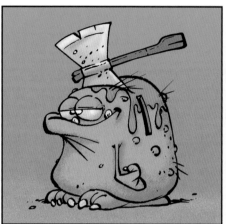

CETTE
TIRELIRE ?
TU ES
SÛR ?

EN PLUS ELLE A DE
VRAIS CHEVEUX !

MIDAM - DAIRIN - PATELIN

635

RIKIKI ET LE GROS FLOCON — SALLE 1

GUEULE DE ZOMBIE — ENFANTS NON ADMIS — SALLE 2

ENFILE L'IMPER, J'AI UN PLAN !

TU VAS FAIRE COMME SI TU NE POUVAIS PAS PARLER ET TU VAS MONTRER ÇA AU GUICHET !

C'EST QUOI ?

TON TEXTE. J'AI TOUT ÉCRIT À L'AVANCE, ÉCOUTE ÇA...

BONJOUR MONSIEUR

BONJOUR MONSIEUR, J'ESPÈRE QUE VOUS AVEZ ENCORE UNE PLACE POUR LA SALLE GUEULE DE ZOMBIE MAIS SURTOUT PAS POUR RIKIKI ET LE GROS FLOCON.

? — BONJOUR MONSIEUR

! — VOUS AVEZ ENCORE UNE

? — SALLE GUEULE DE

GROS CON

SA RÉACTION ME LAISSE SANS VOIX...

MIDAM - DAIRIN - PATELIN

642

INSTALLEZ-VOUS, JE VOUS EN PRIE. QUE PUIS-JE FAIRE POUR VOUS ?

Docteur
Francis Licone
CHIRURGIE
ESTHÉTIQUE

JE SAIS QUE JE SUIS BELLE. CE QUE JE VEUX, C'EST ÊTRE ENCORE PLUS BELLE.

AVANT APRÈS

ON PEUT FAIRE DES INJECTIONS DE BOTOX.

LA CHIRURGIE ESTHÉTIQUE C'EST FANTASTIQUE

J'AI JUSTEMENT RENTRÉ CET EXCELLENT NOUVEAU PRODUIT.

TIENS ?

ON DIRAIT QUE VOUS FAITES UNE RÉACTION ALLERGIQUE.

ELLES SONT POURTANT TRÈS, TRÈS RARES...

AH BEN OUI, DÉSOLÉ. ÇA VA ÊTRE PLUS DIFFICILE DE TROUVER UN FIANCÉ MAINTENANT. HA ! HA !

IL VAUT MIEUX PRENDRE ÇA AVEC HUMOUR !

KID A L'AIR CAPTIVÉ PAR LA CUISSON DE TA BRIOCHE.

MHH... JE N'AIME PAS QUAND IL FAIT CETTE TÊTE...

FARINE

MIDAM - DAIRIN - PATELIN

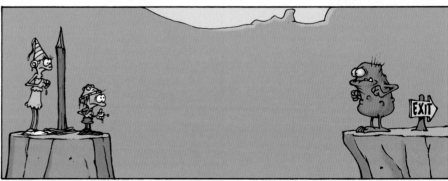

CLACK

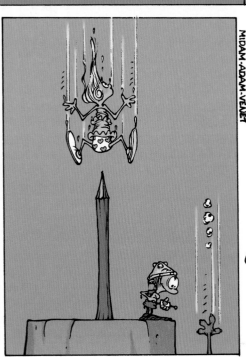

GAME OVER ♪

MIDAM ·ADAM ·VELNET

665B

AUJOURDHUI, COURS DE LATIN !

J'ENTENDS CERTAINS D'ENTRE VOUS PENSER QU'IL NE SERT À RIEN D'ÉTUDIER UNE LANGUE QUI N'EST PLUS UTILISÉE AUJOURD'HUI... NOUS ALLONS MONTRER À CES IGNARES QU'ILS SE TROMPENT LOURDEMENT !

COMMENÇONS PAR FAIRE UN PEU DE PLACE !

POUSSEZ-MOI LES TABLES DE DEVANT, LÀ !

TIREZ LES RIDEAUX, ET ÉTEIGNEZ LES LUMIÈRES, JE VAIS ALLUMER QUELQUES BOUGIES...

SURTOUT, NE PANIQUEZ PAS...

TANT QUE VOUS RESTEZ À L'EXTÉRIEUR DU CERCLE, VOUS NE RISQUEZ RIEN !

Belzebuth, daemon infernus, te voco. Ad me veni et mihi servi.

ET HOP ! UN DÉMON DES ENFERS À MON SERVICE !

QUI A DIT QUE LE LATIN ÉTAIT INUTILE ?

...AINSI DONC, VOUS APPRENDREZ À NE PLUS CONFONDRE LA DÉCLINAISON DE TYPE GÉNITIF DOMINI DOMINORUM AVEC L'ACCUSATIF DOMINUM DOMINOS.

QUI A DIT QUE LE LATIN ÉTAIT INUTILE ?

ÇA Y EST J'AI ENVIE D'UNE PIZZA !

MIDAM - DAIRIN - PATELIN

631

APOLLO 11 !

LA MISSION QUI A POSÉ DES HOMMES SUR LA LUNE...

... DONT NEIL ARMSTRONG, LE PREMIER HOMME QUI A MARCHÉ SUR LA LUNE !

ENFIN... LE PREMIER HOMME, CE N'EST PAS TOUT À FAIT EXACT !

NEIL ÉTAIT EN RÉALITÉ UN ALIEN INFILTRÉ DANS LA NASA, ET IL A PROFITÉ DE CE VOYAGE...

... POUR EMBRASSER SA FAMILLE, ET BOIRE UNE BONNE TASSE DE BLOGKLHG !

BIEN SÛR TOUT CECI EST RESTÉ LONGTEMPS SECRET, ET POURTANT L'ÉVIDENCE A TOUJOURS ÉTÉ LÀ !...

SI TU LIS "NEIL A." À L'ENVERS, ÇA FAIT ALIEN...

INOUÏ !

COMBINAISON SPATIALE

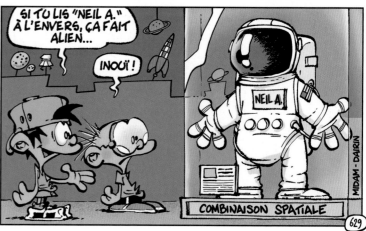

VOILÀ VOTRE COMMANDE, M. PADDLE, DES PELOTES DE LAINE ET DES ÉPINGLES.

PARFAIT, MERCI !

C'EST POUR CAROLE ?

PAS DU TOUT, KID, C'EST POUR MOI, ENFIN POUR LE "BUREAU" !

LE BUREAU ?

LE F.B.I. SI TU PRÉFÈRES...

JE SUIS CONSULTANT POUR EUX. JE TRAQUE LES SERIAL KILLERS QUI OPÈRENT AUX 4 COINS DES U.S.A.

JE SUIS SUR LA PISTE DU CHARCUTIER DU BRONX, QUI ARRACHE LE COEUR DE SES VICTIMES POUR EN FAIRE DE LA SAUCISSE...

CE MONSTRE M'A DÉGOÛTÉ À VIE DES HOT-DOGS !

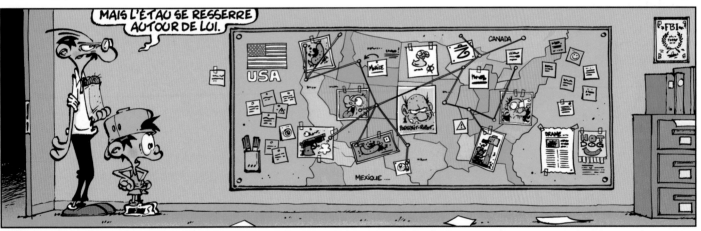

MAIS L'ÉTAU SE RESSERRE AUTOUR DE LUI.

IL A ÉTÉ APERÇU À K-WEST EN FLORIDE, L'INFO VIENT D'UN INDIC SOUS COUVERTURE...

MIDAM - DAIRIN - PATELIN

OUI, JE TRICOTE, ÇA ME DÉTEND APRÈS LE BUREAU. DEVINE POUR QUI EST CETTE JOLIE COUVERTURE ?

KID, PETIT VEINARD !

645

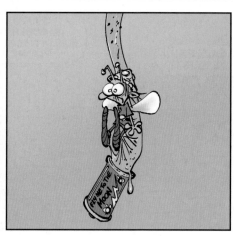

POUR L'ÉPREUVE **TOP CHEF** D'AUJOURD'HUI, LE CANDIDAT KID PADDLE DEVRA NOUS PRÉSENTER UN DESSERT.

IL ATTRAPE UN VIEUX LIVRE DE RECETTES. ÉTONNANT POUR CE CANDIDAT QUI NOUS A HABITUÉS À DAVANTAGE DE CRÉATIVITÉ ET DE PRISES DE RISQUES.

MAIS... ATTENDEZ...

IL SEMBLERAIT QUE... OUI, C'EST CONFIRMÉ. IL NE S'AGIT PAS D'UN LIVRE DE RECETTES MAIS DE L'ENCYCLOPÉDIE LAROUSSE DU CORPS HUMAIN. L'ÉDITION DE 1829, UNE BIBLE QUE LES ÉTUDIANTS EN MÉDECINE CONNAISSENT BIEN.

ON COMPREND MIEUX LE CHOIX DE LA PÂTE D'AMANDE ROSE, QUE NOTRE CANDIDAT EST EN TRAIN DE MODELER POUR LUI DONNER LA FORME D'UN... PIED ?

NON ! UNE OREILLE SAISISSANTE DE RÉALISME. QUEL ARTISTE !

MAIS PAS SUFFISAMMENT RÉALISTE AU GOÛT DU CANDIDAT PERFECTIONNISTE QUI POUSSE LE SENS DU DÉTAIL JUSQU'À RAJOUTER DE LA RÉGLISSE POUR LES POILS.

UN DERNIER INGRÉDIENT SURPRISE ET LE DESSERT EST PRÊT !

IL NE RESTE PLUS QU'À DÉGUSTER CES MAGNIFIQUES OREILLES AU MIEL !

MOI J'UTILISE UN COTON TIGE POUR DÉGUSTER LE MIEL, C'EST MEILLEUR !

625A

AU DÉBUT, IL Y A LA JEUNESSE, LA FOUGUE, L'INSOUCIANCE !

LA VIE EST FACILE. SEULS COMPTENT LE SURF, LES VAGUES, LE SOLEIL...

LES FILLES...

PUIS ON VIEILLIT, ON PERD SES RÉFLEXES. UN JOUR, C'EST L'ACCIDENT.

ET NOTRE MONDE S'ÉCROULE.

ON EST RATTRAPÉ PAR LA DURE RÉALITÉ DE LA VIE.

PÔLE EMPLOI

nous planchons sur votre avenir

ET RÉDUIT À ACCEPTER LE PREMIER JOB QUI SE PRÉSENTE.

EN PLEURANT SUR LE SOUVENIR DE NOTRE JEUNESSE PASSÉE...

MODEL X2047W

MAIS QUELLE HORREUR !

C'EST POUR ÇA QUE TU DOIS BIEN ÉTUDIER À L'ÉCOLE.

MIDAM · DAIRIN · PATELIN

650

LES PRESSE-LIVRES ?!

CE SONT DES GOODIES OFFERTS AVEC LE JEU...

MIDAM·ADAM·PATELIN

663

KID ! AIDE-MOI À RANGER LES AFFAIRES PLUTÔT QUE DE T'AMUSER !

MIDAM - DAIRIN - PATELIN

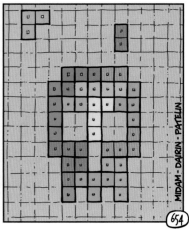

ON SE FAIT UNE PETITE PARTIE ?

MOI J'AI JAMAIS DE CHANCE AUX CARTES.

LA CHANCE N'A RIEN À VOIR LÀ-DEDANS, HORACE.

TOUT REPOSE SUR L'OBSERVATION ET LES MATHÉMATIQUES.

TU DOIS ÉTUDIER LES RÉACTIONS ET LES TICS NERVEUX DE TES ADVERSAIRES, PÉNÉTRER LEUR ESPRIT ET VOIR CLAIR DANS LEUR JEU...

TU DOIS AUSSI COMPTER, MÉMORISER LES CARTES ET CALCULER LES PROBABILITÉS POUR JOUER LE MEILLEUR COUP !

SCHLIP

ET QUAND TU AS ANALYSÉ TOUS CES PARAMÈTRES, TU ABATS TES CARTES ET TU REMPORTES LA MISE !

ÇA SENT LE FUTUR CHAMPION DE POKER, ÇA !

BON ALLEZ, ON COMMENCE ?

MIDAM - DAIRIN - PATELIN

DANS LA FAMILLE FLUIDES CORPORELS, JE VOUDRAIS LE SERGENT DÉGUEULIS QUI A VOMI SUR LE TAPIS.

BEN, JE N'AI QUE LES GLAIRES DE ZOMBIES...

PIOCHE !

638

BIENVENUE À CETTE CONVENTION MONDIALE DE L'ORGANISATION RÉSISTANTE MAIS PACIFIQUE "C'ÉTAIT MIEUX AVANT"!

c'était mieux **Avant**

BONJOUR À TOUS ET TOUTES! OU DEVRAIS-JE DIRE À TOUT-E-S!

OU À TOUSTES! HA! HA!

HA! HA!

HA! HA!

NOS DERNIÈRES ÉTUDES SCIENTIFIQUES LE DÉMONTRENT CLAIREMENT : LE NIVEAU DE STUPIDITÉ ATTEINT SON PIC MORTEL À 20 ANS...

STUPIDITÉ

10   20

ÂGE

...ET DÉCROÎT AVEC L'ÂGE POUR ARRIVER À UN NIVEAU NÉGLIGEABLE APRÈS 70 ANS.

0 10 20 30 40 50 60 70 80

ÂGE

LES PLUS DE 70 ANS ÉTANT UNE MINORITÉ, NOUS SOMMES DONC OPPRIMÉS, ENCERCLÉS, ISOLÉS ET NON VIOLENTS!

NOUS DEVONS RÉAGIR.

L'IDÉE EST DE POURRIR LA VIE DES MOINS DE 70 ANS. "POURRIR LEUR LIFE", COMME DISENT LES JEUNES.

DANS CE BUT, NOUS AVONS CRÉÉ DES ATELIERS.

JEANNINE?

MERCI ROBERT.

AUJOURD'HUI, NOUS ALLONS CONCENTRER NOS EFFORTS SUR LE TRAVAIL EN CAISSE.

CAISSE

PRIVILÉGIEZ TOUJOURS LES ARTICLES AVEC UN CODE-BARRE ABÎMÉ...

ÇA NE PASSE PAS? DÉCIDÉMENT JE N'AI PAS DE CHANCE.

JE VAIS ALLER VOIR LE PRIX EN RAYON... MADAME.

648A

VOUS POUVEZ AUSSI SIMPLEMENT LAISSER TOMBER L'ARTICLE.

OOOH, J'AI LAISSÉ TOMBER L'ARTICLE PAR TERRE !

JE VAIS VOUS LE RAMASSER.

J'AI ACHETÉ DE LA VASELINE POUR MES HÉMORROÏDES, JE NE SAIS PAS SI ÇA CONVIENT...

EUH...

MES JAMBES NE ME PORTENT PLUS, POURRAIS-JE VOUS DEMANDER UNE CHAISE ?

SAPERLIPOPETTE, J'AI OUBLIÉ MON CODE SECRET... JE VAIS DEVOIR APPELER MON PETIT-FILS...

53,63€ ? JE PEUX VOUS PAYER EN CENTS ? VOUS ACCEPTEZ AUSSI LES FRANCS ?

C'EST POUR ÇA QUE TOUS LES VIEUX SONT TRÈS LENTS AUX CAISSES...

AAAH BEN ÇA ! J'ÉTAIS SÛRE D'AVOIR MA CARTE DE FIDÉLITÉ !

CAISSE 3

-10%

MARKET

VOUS POURRISSEZ NOTRE LIFE AVEC BEAUCOUP DE STYLE !

BRAVO !

NON VIOLENTS... MON ŒIL...

LA CANNE TRIPODE A CAUSÉ 3 PETITES FRACTURES...

MIDAM - DAIRIN

648B

OLAF ÉTAIT UN GRAND GUERRIER VIKING.

IL MAÎTRISAIT PARFAITEMENT LE MANIEMENT SUBTIL ET DÉLICAT DE LA MASSUE.

BÄM !

ET RAMENAIT APRÈS CHAQUE BATAILLE LES CASQUES DE SES ENNEMIS VAINCUS À SA FEMME, HILDA.

LES CASQUES S'ENTASSAIENT PARTOUT DANS LA HUTTE, JUSQU'AU JOUR OÙ HILDA EUT UNE IDÉE.

LES UTILISER COMME VAISSELLE ET OUVRIR UNE AUBERGE !

GRÂCE À L'EXCELLENTE CUISINE DE HILDA ET AU SERVICE MUSCLÉ D'OLAF, L'AUBERGE "LE CASQUE AUX ÉTOILES" DEVINT UNE DES MEILLEURES TABLES DU PAYS.

C'EST DEPUIS CE JOUR QUE LES ÉTOILES SONT DEVENUES LA MARQUE DES PLUS GRANDS.

D'AILLEURS ILS CONTINUENT À UTILISER DES CASQUES POUR SERVIR LES PLATS !

MIDAM - DAIRIN - PATELIN

614

BIEN SÛR QUE TU PEUX AVOIR UNE POMME DE TERRE !

MAIS TU VEUX PAS ATTENDRE QUE JE LA FASSE CUIRE ?

NON MAIS J'AI ACHETÉ UN KIT BLORK PATATOES.

AH !

C'EST PLEIN D'ACCESSOIRES.

TU LES FIXES SUR LA POMME DE TERRE...

ET TU CRÉES TON BLORK !

AH AH AH ! C'EST SYMPA !

NON MAIS C'EST PAS FINI, IL FAUT LAISSER REPOSER TROIS SEMAINES MAINTENANT.

MIEL BLORK'S

MIDAM - DAIRIN - PATELIN

639

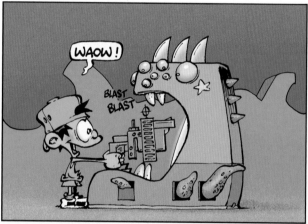

J'ai FAIM...

MOI AUSSI!

MOI AUSSI!

Bolitophage
(grossi 3 fois).

Mille-pattes.

NOUS AUSSI, en fait...

BREF, TOUT le monde a FAIM, ICI!

Nosodendron.

Orescius.

QUELQU'UN a une idée?

EXCUSEZ-MOI!

Oxythyrea.

A   B

Je me suis perdue dans la forêt!

POURRIEZ-VOUS M'INDIQUER MON chemin?

?   *?*   *?*

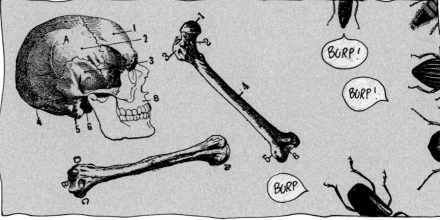

BURP!

BURP!

BURP!

KID ÉTAIT TRÈS INTÉRESSÉ PAR LES GRAVURES D'INSECTES! PEUT-ÊTRE UN FUTUR ENTOMOLOGISTE?

JE TROUVE QU'ON AURAIT DÛ RESPECTER L'ORDRE DES ESCOUADES...

FAUT PAS TOUJOURS ÊTRE TROP SCIENTIFIQUE POUR ÉCRIRE UNE BONNE HISTOIRE!

MAIS?! C'EST QUE C'EST GOURMAND CES BRAVES PETITES BÊTES?!

(666)

TIENS, C'EST BIZARRE, JE NE RETROUVE PLUS MA PERCEUSE !

TU L'AURAIS PRISE ?

CELLE QUE TU AS PRÊTÉE AU VOISIN IL Y A 3 MOIS ?

MISÈRE, J'AVAIS OUBLIÉ, TU AS RAISON !

PAF

OK, ON VA LUI RENDRE UNE PETITE VISITE AMICALE. PRENDS LE DUCT TAPE, JE PRENDS LE PLASTIC !

DE L'EXPLOSIF ?

OUI, DU SEMTEX QUE J'AI TROUVÉ SUR UNE BROCANTE EN TCHÉCOSLOVAQUIE...

JE SAVAIS QUE ÇA ME SERVIRAIT UN JOUR...

LÀ-BAS, ILS DISENT : TU PRÊTES À UN AMI, TU RÉCLAMES À UN ENNEMI... DICTON TRÈS JUSTE...

BIEN. ASSEZ PHILOSOPHÉ POUR AUJOURD'HUI...

KLIK

BIIIIIP

BLAM

DING DONG...

VOLÉ AU VOISIN

TOUJOURS ÊTRE DISCRET QUAND ON SE PRÉSENTE CHEZ UN VOISIN ALORS QU'ON N'EST PAS ATTENDU.

TOK TOK

MIDAM - DAIRIN

647

DU MÊME AUTEUR :

SUIVEZ MIDAM SUR FACEBOOK

WWW.KIDPADDLE.COM
WWW.GAMEOVERFOREVER.COM